Sofia's Feelings

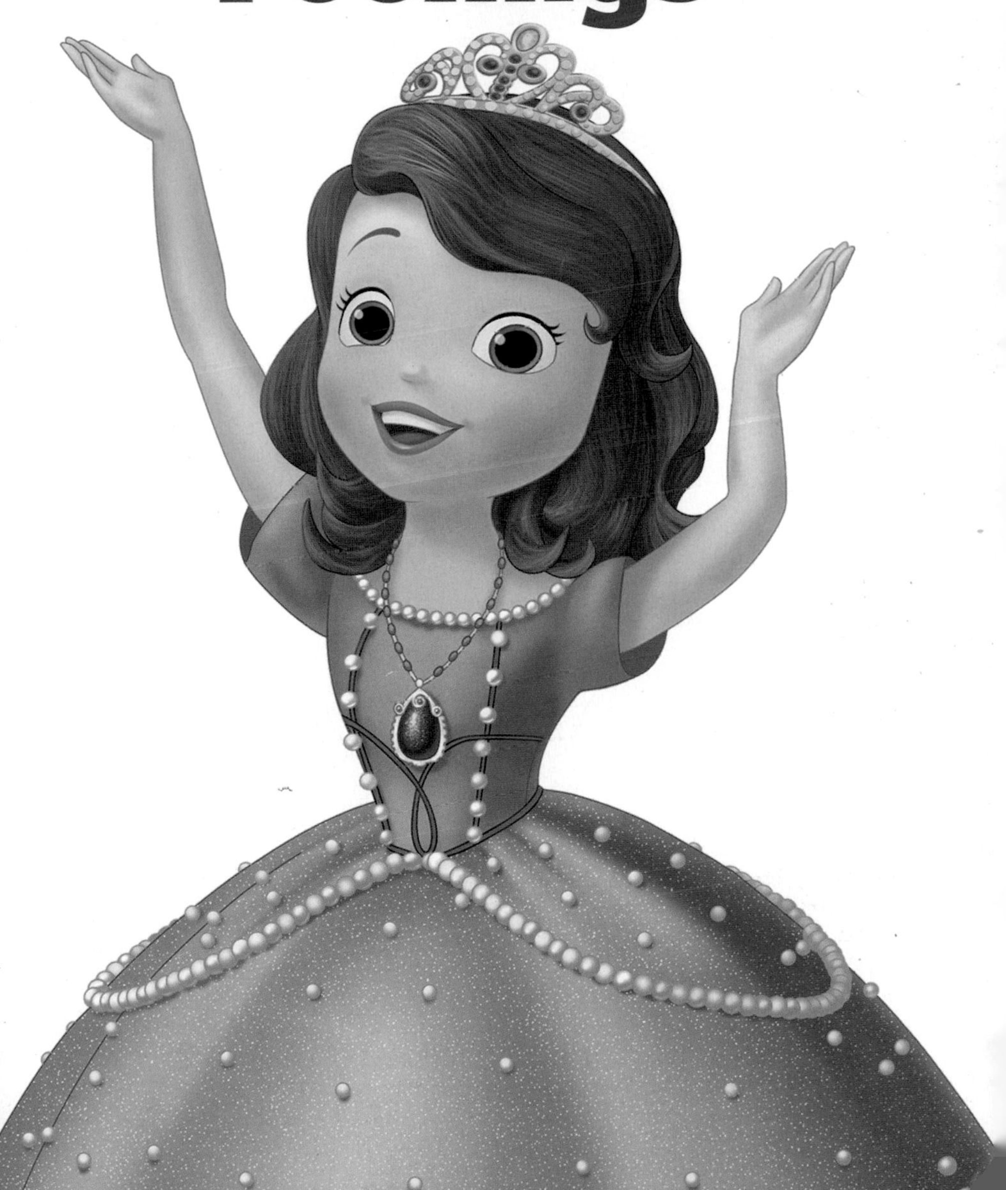

I smile when I am happy.

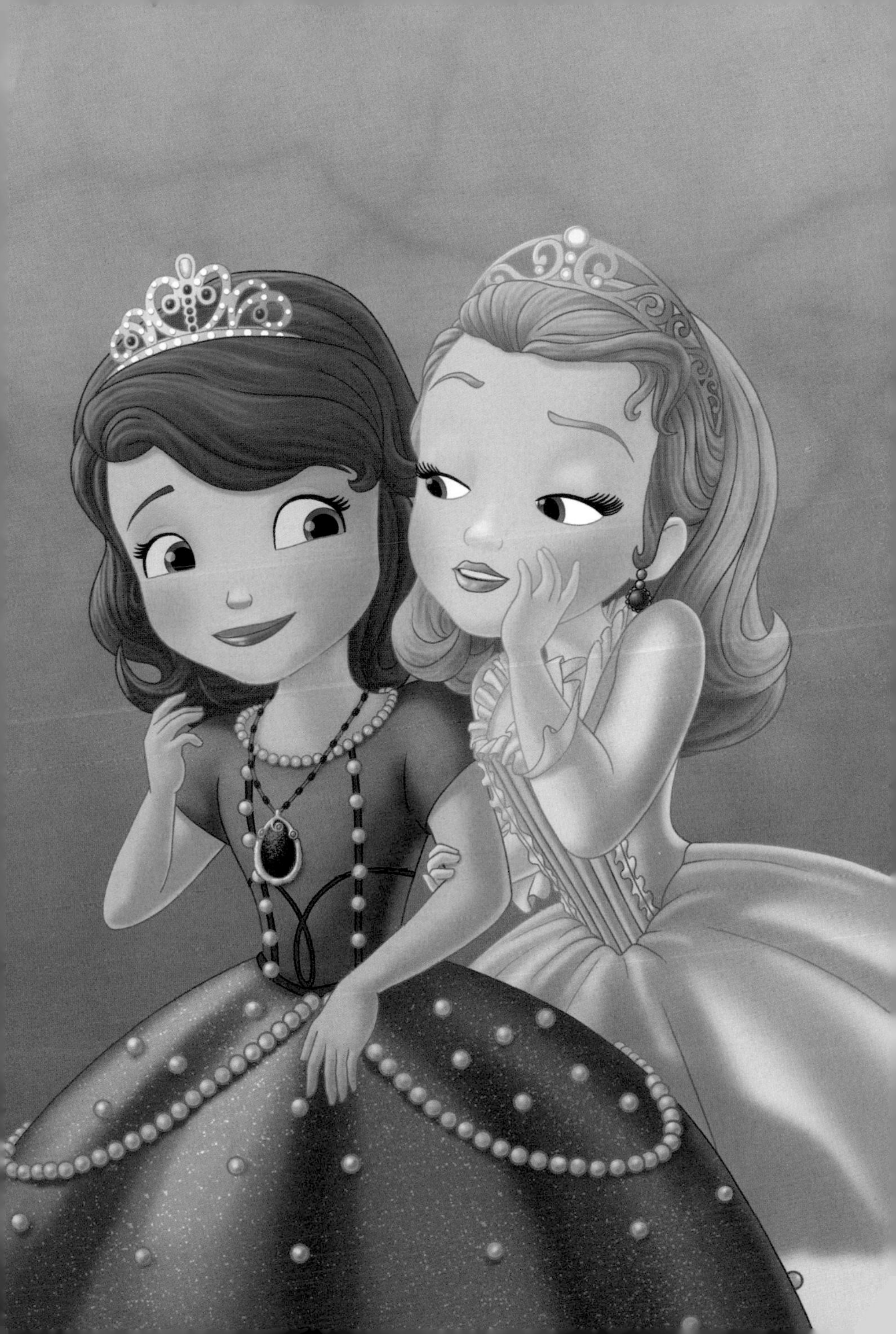

I cry when I am sad.

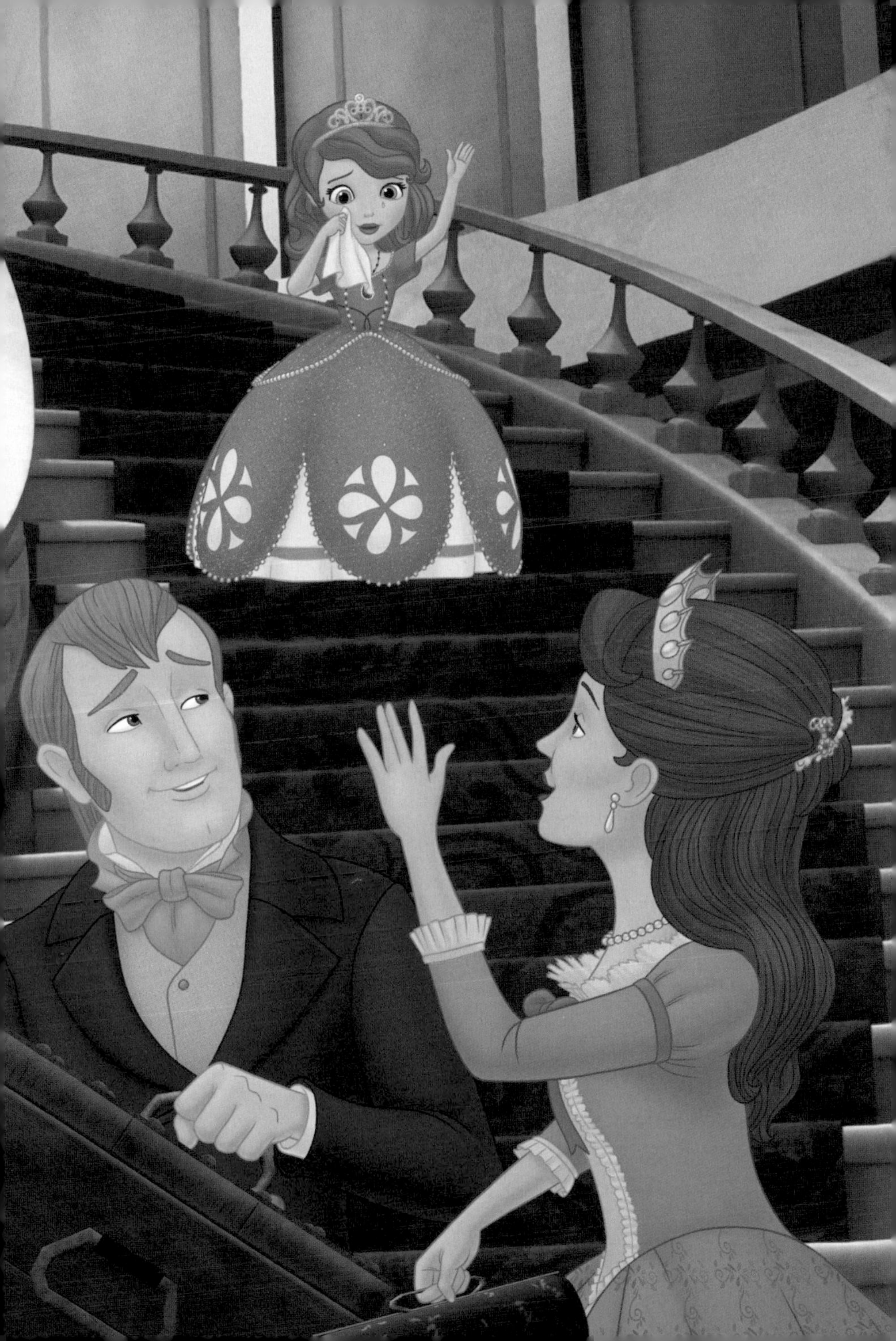

I frown when I am upset.

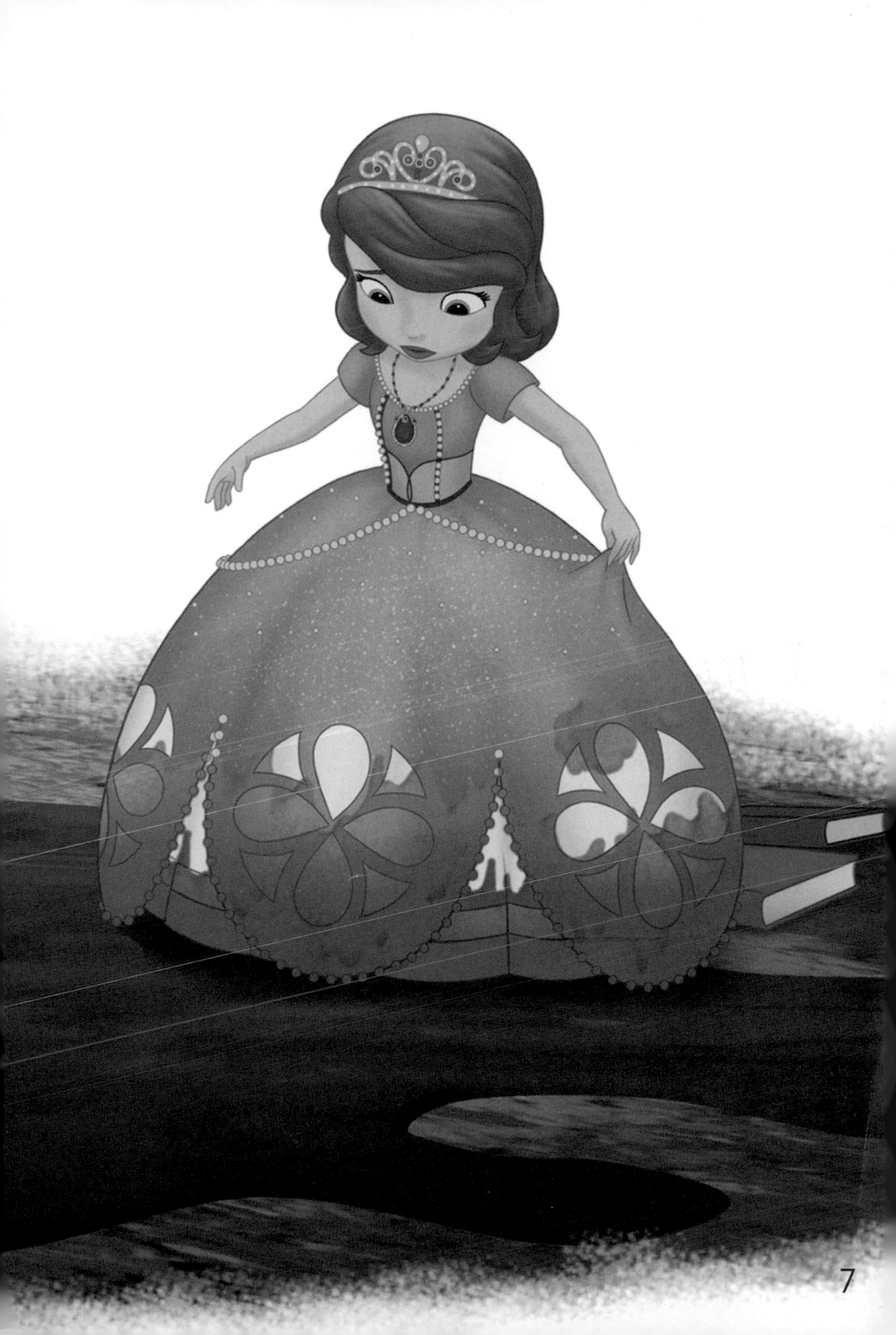

I yawn when I am tired.

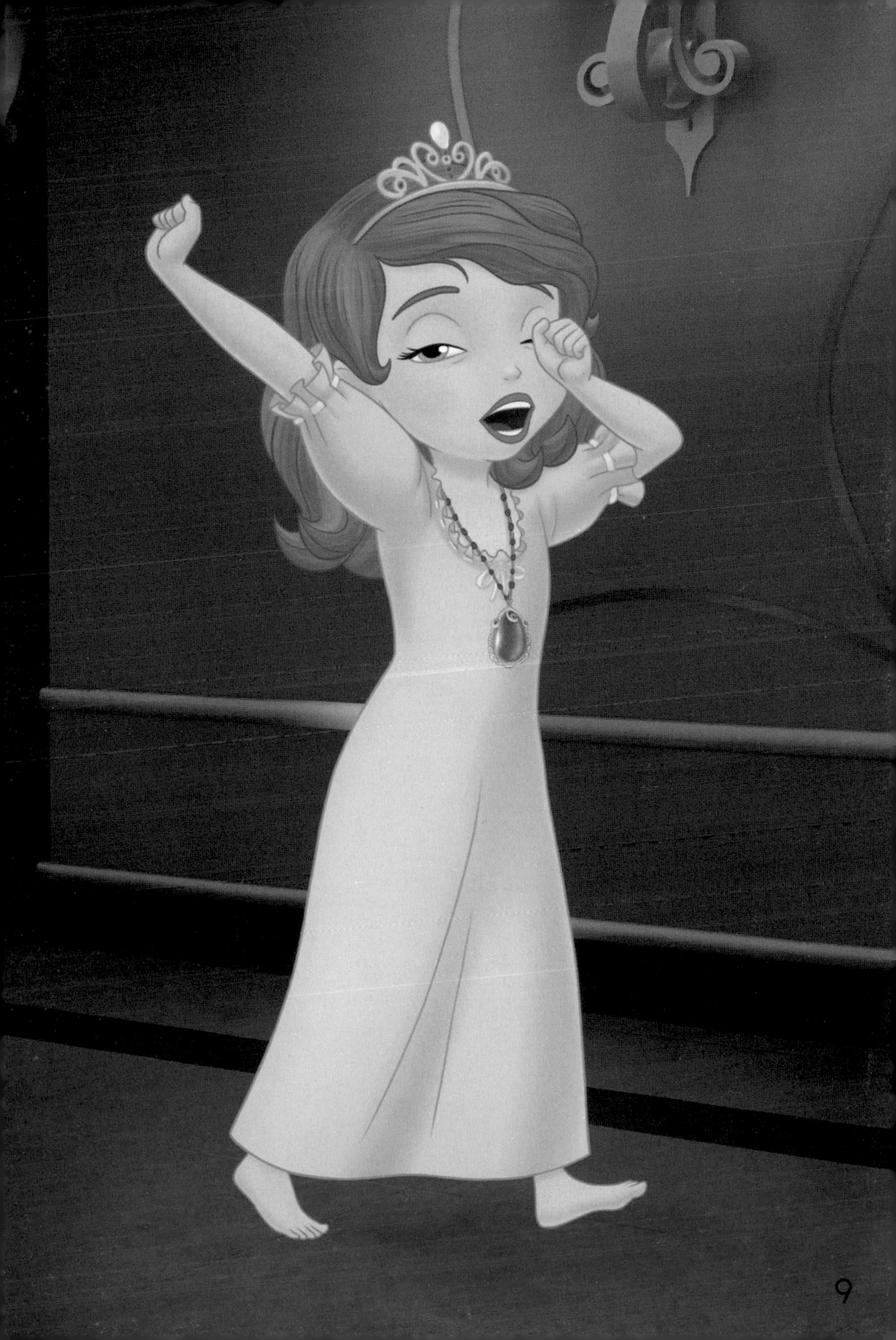

I scream when I am scared.

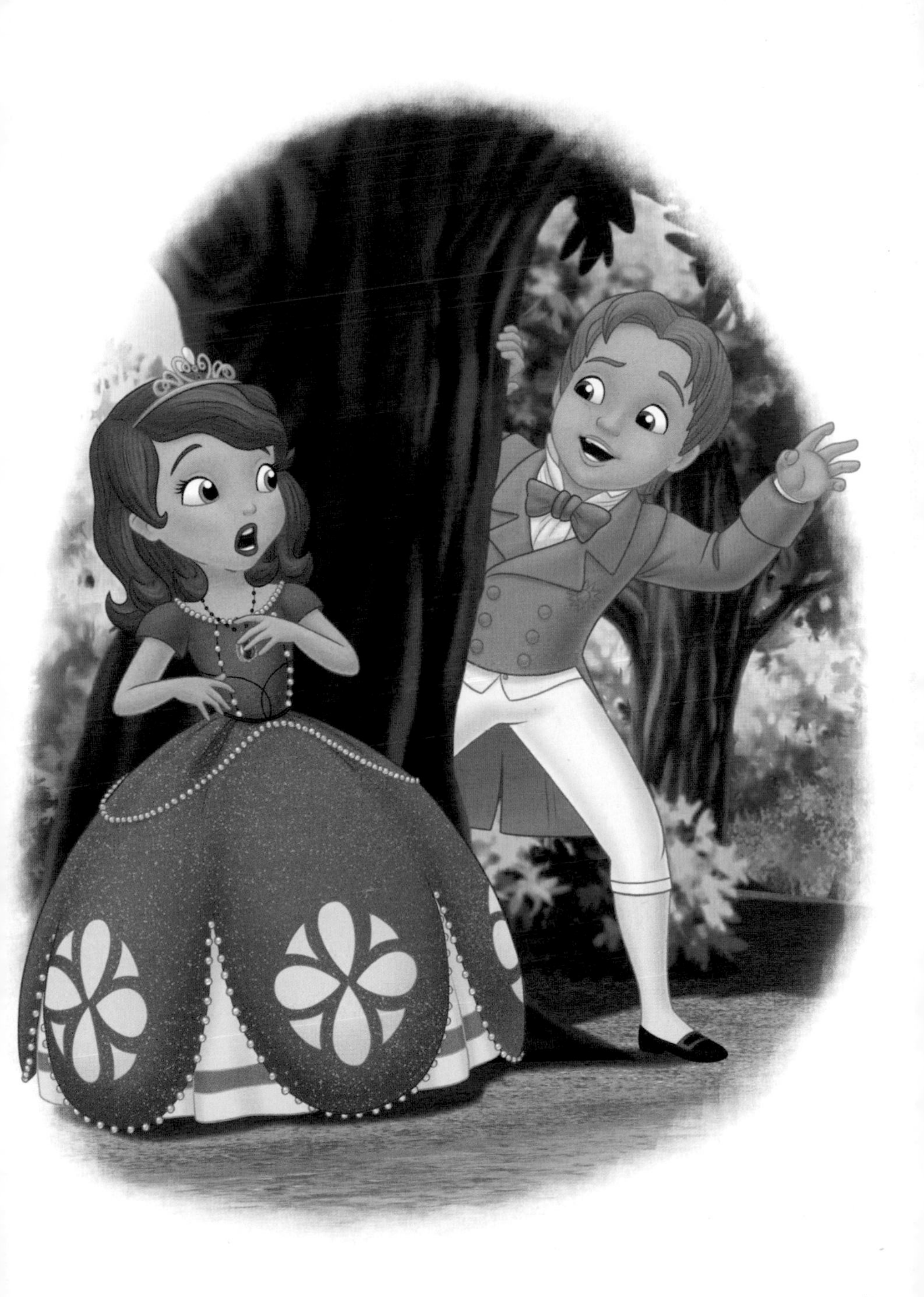

I blush when I am shy.

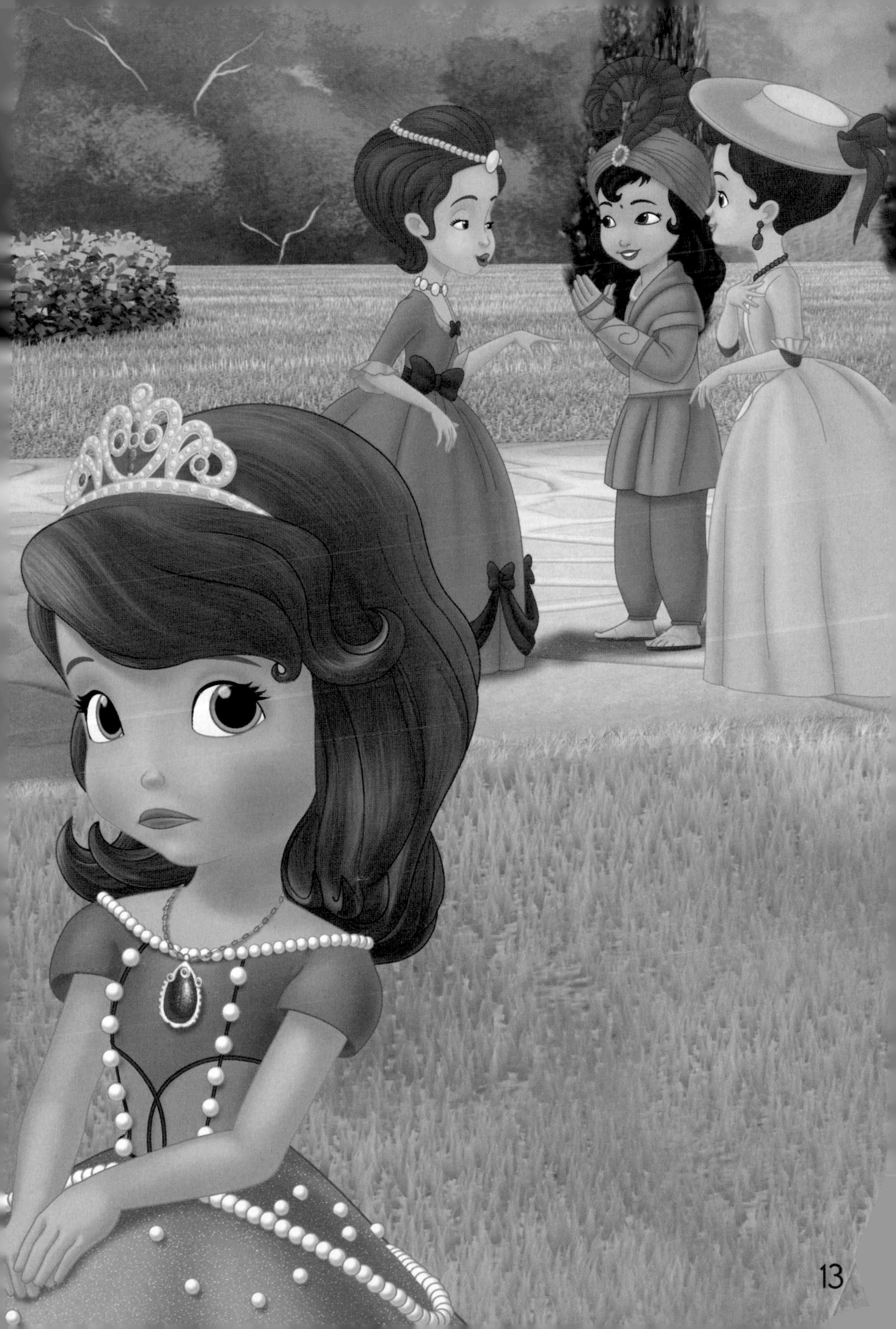

How do you show your feelings?

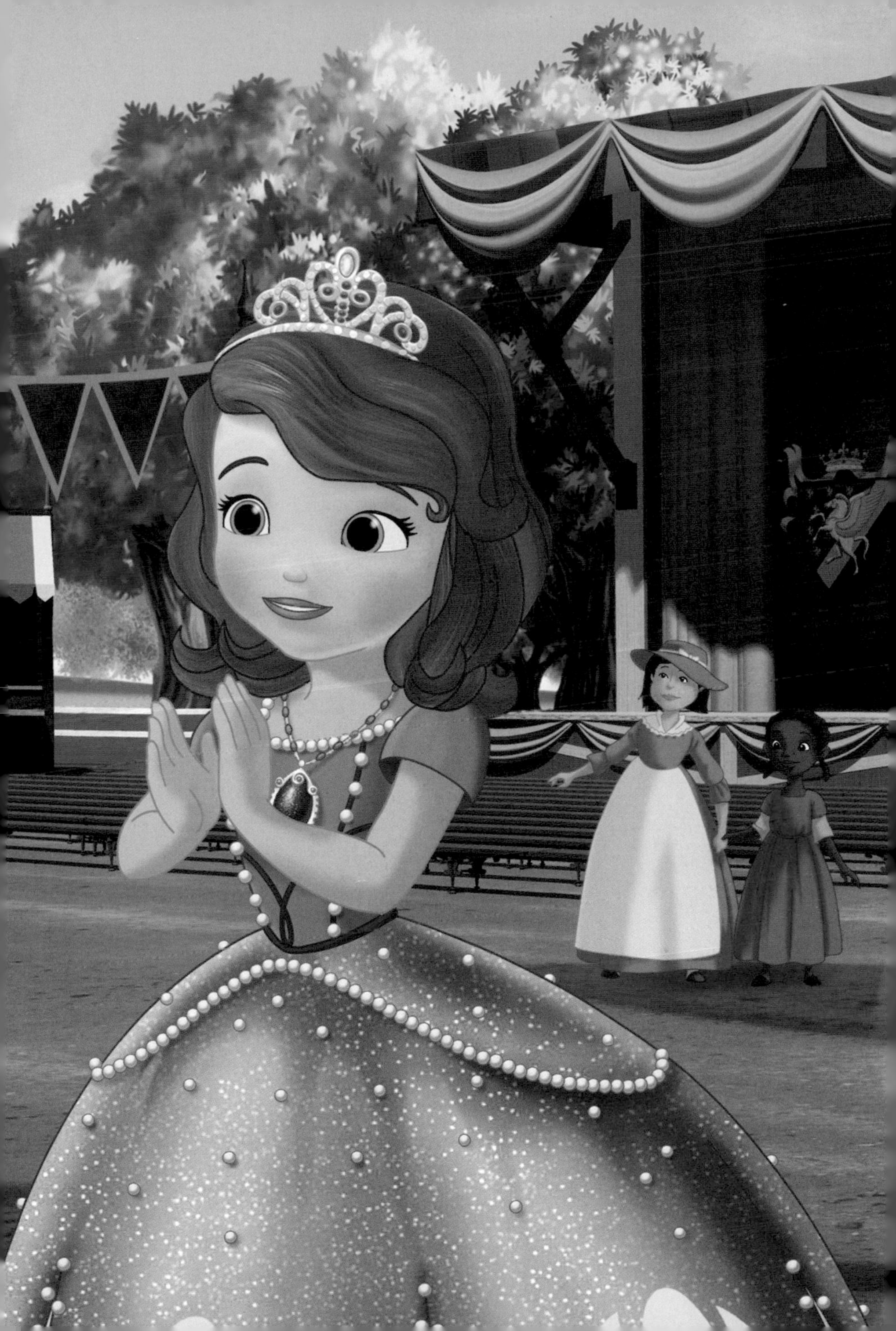

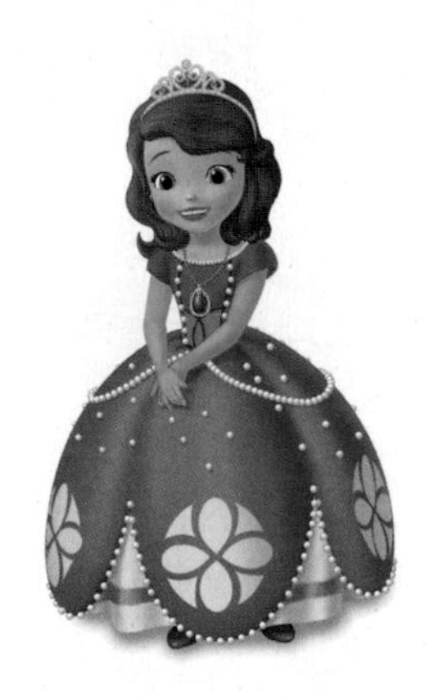